CÓMO DEJAR DE PENSAR DEMASIADO DE UNA VEZ POR TODAS

Aprende Cómo Controlar el Pensamiento Excesivo

Jun Sano

ÍNDICE

INTRODUCCIÓN

El problema de pensar demasiado puede manifestarse de diversas formas, como la preocupación constante, la rumiación persistente de un tema en concreto y el pensamiento obsesivo, por citar algunas. Este fenómeno psicológico es uno de los principales responsables del estrés, la preocupación y la depresión, ya que limita la capacidad de una persona para disfrutar de la vida y llevar a cabo las actividades necesarias para el funcionamiento diario. Por lo tanto, es fundamental adquirir las habilidades necesarias para controlar los pensamientos y reducir los excesos.

Puesto que nuestras acciones y decisiones se basan en nuestros pensamientos, controlar esos pensamientos es de vital importancia. Por otra parte, si permitimos que nuestros pensamientos se vean dominados por un exceso de ideas, es probable que nuestras acciones y decisiones también se vean afectadas negativamente. Además, se ha demostrado que el pensamiento excesivo está asociado con una mayor probabilidad de desarrollar problemas de salud mental como la ansiedad y la depresión. Por lo tanto, es crucial para nuestro bienestar físico y mental que aprendamos a gestionar nuestros pensamientos y a reducir el exceso de pensamiento innecesario.

La buena noticia es que existen métodos prácticos que pueden emplearse para reducir el exceso de pensamiento innecesario. Algunas de las estrategias que podrían ayudar a prevenir el pensamiento excesivo y promover el bienestar físico y mental incluyen la meditación y la atención plena, las distracciones conscientes, el replanteamiento de las ideas negativas, la escritura y la liberación de los pensamientos y la necesidad de actividad física. Sin embargo, para sacarles el máximo partido, es necesario saber aplicarlas en la vida cotidiana.

La meditación y la atención plena han demostrado ser dos de los métodos más eficaces para reducir los niveles de pensamiento excesivo. La técnica de centrar la atención en el aquí y el ahora suspendiendo la preocupación por el pasado o el futuro se conoce como meditación y busca ir poco a poco dejando de lado los pensamientos distractores o irrelevantes. La capacidad de prestar atención consciente a los propios pensamientos, sentimientos y sensaciones en todo el cuerpo es lo que se entiende por el término "mindfulness" o atención plena. Esta práctica, al igual que la meditación, se centra en prestar atención a las experiencias internas sin juzgarlas. Ambos métodos pueden ayudar a liberarse de ideas excesivas y mejorar la capacidad de una persona para ejercer control sobre sus propios pensamientos y comportamientos.

La meditación y el entrenamiento en atención plena son dos de las técnicas más útiles para reducir los niveles de pensamiento excesivo. Además, son dos técnicas que cualquiera puede realizar en su casa y sin ningún tipo de equipamiento. Si no conoces nada sobre esta práctica, en este libro descubrirás cómo empezar a realizarla de forma sencilla. Hay diferentes maneras y cada persona debe encontrar el método que más le guste o con el que se sienta más cómodo a la hora de meditar. No tengas miedo y empieza hoy mismo ya que, con apenas 5 minutos diarios que solemos perder, mirando el móvil por ejemplo, tu vida podría cambiar por completo. Suena algo loco, pero la meditación es una forma fantástica, natural y poderosa para reducir el nivel de pensamientos y, por lo tanto, tu estrés o ansiedad, de una forma eficiente y duradera. ¡Anímate!

La capacidad de prestar atención consciente a los propios pensamientos, sentimientos y sensaciones en todo el cuerpo es lo que se entiende por el término "atención plena". Ambos métodos pueden ser útiles, ayudándonos a despejar nuestra mente de pensamientos inútiles y llevando nuestra atención al aquí y ahora.

Utilizar estrategias que desvíen intencionadamente la atención es otra táctica eficaz. Este método se conoce como distracciones conscientes. Esto requiere que busquemos activamente cosas que nos permitan desviar nuestra atención de las ideas negativas que ocupan nuestra mente y concentrarnos en otra cosa. Esto puede consistir en actividades como salir a correr, hacer ejercicio, ordenar la casa, leer un libro, ir al cine o salir con los amigos y la familia. Podemos aumentar nuestra capacidad de disfrutar de la vida de esta sencilla manera.

Otro método útil es reformular los pensamientos negativos para hacerlos más positivos. Para ello tenemos que reexaminar nuestros pensamientos y encontrar una forma más optimista de ver las cosas. Por ejemplo, si estamos agobiados o en un momento laboral o en tu vida privada en la que te sientas estresado o saturado por los acontecimientos y sueltas un: *"no puedo más…"*, podríamos reformular el pensamiento y decir algo como: *"puedo hacerlo, sólo necesito un poco más de tiempo o apoyo",* que siempre será mucho mejor que volver a pensar o decir: *"nunca podré hacerlo".* El decir en voz alta un pensamiento negativo inunda tu cuerpo de esa negatividad y cada una de las células de tu cuerpo se pone a trabajar en esa mala sensación que el pensamiento negativo ha creado: tristeza, culpabilidad, frustración, ira, vergüenza, estrés… y ninguna de esas sensaciones ayudará a resolver tu problema o te hará sentir mejor. Y además lo sabes. "Corregir" esa frase pesimista o negativa que has dicho por una positiva ayudará a que el problema o la situación se vea desde una perspectiva totalmente diferente. Tendrás otra actitud para resolverla y tus probabilidades de superarla con éxito aumentarán de forma drástica. Además, este cambio de punto de vista puede ayudarnos a reducir el tiempo que pasamos pensando demasiado y de esa forma iremos entrenando nuestra mente para aprender a detener cuanto antes ese hábito frecuente que no nos favorece en absoluto y así mejorará aún más nuestra capacidad para afrontar circunstancias difíciles.

Escribir los pensamientos para sacarlos de la cabeza es otro método útil. Escribir nuestras ideas en un diario o en un trozo de papel y luego dejarlas ir es un paso importante en este proceso de mejora. Esto puede ayudarnos a desprendernos de ideas desagradables, a observarlas con objetividad desde otro enfoque y a centrar nuestra atención en el aquí y el ahora.

Por último, pero no por ello menos importante, es esencial destacar el papel que desempeña el ejercicio regular en la prevención del procesamiento mental excesivo. Las endorfinas son hormonas que ayudan a aliviar el estrés y la ansiedad y se liberan en tu cuerpo cuando realizas ejercicio. Además, la actividad física puede ayudar a desviar nuestra atención de los pensamientos desfavorables y aumentar nuestra capacidad de disfrutar de la vida. Hay múltiples estudios que confirman la reducción de los síntomas del estrés, la ansiedad o la depresión cuando se realiza actividad física de forma frecuente. Por no hablar de la mejora en la circulación, la densidad ósea, la reducción de la grasa visceral, la regulación del azúcar en sangre, colesterol, azúcar y un largo etc.

Los pensamientos negativos y los miedos son habituales en todos nosotros de vez en cuando, sobre todo en momentos de mayor presión o incertidumbre. El problema surge, sin embargo, cuando estas ideas no cesan y nos es difícil frenarlas. Es entonces cuando se convierten en un problema.

En conclusión, pensar en exceso es un problema muy extendido que puede tener un impacto negativo tanto en nuestra salud mental como física. Por otro lado, podemos mejorar nuestra calidad de vida y reducir el tiempo que pasamos pensando en exceso empleando una serie de tácticas útiles. Para obtener los mejores resultados posibles, es esencial adquirir los conocimientos necesarios para aplicar estas tácticas en la vida cotidiana y mantener la atención en el momento actual. Esperamos que, con los conocimientos que presentamos en este artículo, le hayamos proporcionado herramientas esenciales que le ayudarán a tomar el control de sus pensamientos y a mejorar su bienestar físico y emocional. Se recomienda que busque la ayuda de un profesional si se siente abrumado o si no nota ningún progreso en su situación.

PENSAMIENTO EXCESIVO COMO PROBLEMA

Como indiqué al principio, la tendencia a recordar de forma repetitiva sucesos pasados, imaginar preocupaciones futuras o dificultades actuales es lo que se entiende por el término "pensar en exceso". Estas ideas suelen ser negativas y puede resultar difícil ejercer control sobre ellas.

Ahora bien, ¿qué significa exactamente "pensar demasiado" en algo? La idea que tiene una persona de lo que constituye una cantidad excesiva puede no ser la misma que tiene otra. Cada uno de nosotros piensa diferente y asimila los sucesos de su vida de una manera distinta. Además, hemos tenido una infancia diferente y nuestra mente también ha sido estructurada con otras creencias, valores y necesidades. Pero, aún así, podemos reunir unos cuantos síntomas comunes del pensamiento excesivo, que serían los siguientes:

- Ser incapaz de apartar el pensamiento de una preocupación o dificultad, incluso cuando se está activamente ocupado en otra actividad.
- Rumiar constante y continuamente un problema en la mente, haciéndolo más grande o más importante de lo que realmente es. Incluso contándoselo a quienes nos rodean o aquellos con los que nos encontramos o reunimos. Especialmente si es irrelevante o si no hay una respuesta obvia o solución al problema en cuestión

- Problemas de concentración por tener demasiados pensamientos entre los que elegir.

Como puedes ver, dedicarse a un procesamiento mental excesivo puede ser extremadamente perturbador y agotador. Puede dificultar que una persona disfrute de la vida y lleve a cabo las actividades diarias. Es posible que provoque sentimientos de ansiedad, estrés y tristeza, así como que aumente, a largo plazo, la probabilidad de tener problemas de salud mental.

Entonces, ¿por qué dejamos que nuestra mente divague? Para ser sinceros, hay varias explicaciones; un acontecimiento traumático, como una muerte en la familia o el fin de una relación, puede ser la causa de este trastorno; un trabajo estresante o un jefe abusivo, pueden provocar que nuestro pensamiento nos acose de forma insistente; conflictos demasiado frecuentes con nuestros
hijos o pareja; un estado como ansiedad o depresión, puede ser la raíz del problema. También existe la posibilidad de que se trate simplemente de un impulso natural de la mente humana. En cualquier caso, si queremos tener una mejor calidad de vida, necesitamos adquirir las habilidades necesarias para aprender a controlar estas ideas y reducir los pensamientos excesivos.

También es esencial tener en cuenta que hay situaciones en las que reflexionar en exceso puede ser beneficioso. Puede ser útil reflexionar sobre las dificultades y preocupaciones para encontrar soluciones, pero cuando se convierte en una obsesión y se interpone en nuestro día a día, entonces tenemos un problema entre manos.

En el siguiente capítulo, repasaremos algunas técnicas útiles para reducir los pensamientos innecesarios y mejorar nuestro bienestar físico y mental.

Pensar demasiado puede ser perjudicial para la salud emocional y la calidad de vida. Éstas son algunas de las dificultades que pueden presentarse cuando uno se esfuerza por reducir el exceso de pensamiento:

- Identificación: no siempre es fácil distinguir entre el pensamiento excesivo y el tipo de pensamiento típico y sano que se considera saludable.

- Cambiar de hábitos: para reducir el exceso de pensamientos innecesarios, tendrás que cambiar tu forma de pensar y de comportarte, lo que puede ser difícil de conseguir.

- Anclaje emocional: dado que los pensamientos excesivos suelen estar relacionados con ideas y sentimientos profundos, puede resultar difícil desvincularse emocionalmente del comportamiento que los originó.

- Pensamiento automático: es habitual que el pensamiento excesivo se convierta en un hábito automático y difícil de romper.

- Incapacidad para concentrarse: pasar demasiado tiempo pensando en algo puede dificultar la concentración en otras actividades y responsabilidades.

- Estrés y ansiedad: pensar en exceso puede elevar los niveles de estrés y ansiedad, haciendo más difícil encontrar alivio a cualquiera de estas condiciones.

- Desmotivación: el exceso de pensamientos puede dejar a una persona sin motivación y sin energía, lo que puede hacer que sea difícil hacer un esfuerzo para mejorar en cualquiera de estos aspectos.

A pesar de estos obstáculos, existen métodos útiles que pueden aplicarse para reducir el exceso de pensamiento innecesario, como los siguientes:

- Es esencial ser consciente de cuándo se está teniendo un pensamiento excesivo y ser capaz de reconocer cuándo es necesario dejar de pensar en ello.

- Cambiar la forma de pensar: en lugar de dejar que las ideas excesivas tomen el control de tu vida, intenta cambiar esos pensamientos para que sean más optimistas y acordes con la realidad.

- Distracción: si tienes problemas para concentrarte, intenta desviar tu atención hacia otra cosa haciendo algo como leer, escuchar música o hacer ejercicio.

- La práctica de la atención plena: el acto de prestar atención a lo que nos rodea y llevar nuestra atención al aquí y ahora, en lugar de obsesionarnos con nuestros problemas o preocupaciones, es una de las claves principales para dejar de pensar demasiado.

- Trabajar sobre los patrones cognitivos subyacentes y adquirir nuevas habilidades pueden ser objetivos beneficiosos que pueden lograrse a través de la terapia.

Entiende que no a todos nos funciona la mismo y que deberás encontrar el método más eficiente para ti o que más encaje contigo. De esta manera serás capaz de conseguir mejorar de una forma consistente y, sobre todo, duradera. Te animo a que vayas caminando con calma y gratitud a través de estas técnicas y las muchas otras que descubrirás a lo largo de las páginas de este libro y que logres encontrar la forma que mejor funciona contigo y con tu actual situación.

Esta es una magnífica oportunidad para ser resilientes. Es decir, para crecer ante la adversidad. Innumerables veces los obstáculos o dificultades han hecho más fuerte a aquel valiente que ha tomado la decisión de superarlos. Así que ¡a por ello!

LA IMPORTANCIA DE REDUCIR EL PENSAMIENTO EXCESIVO

Como he indicado antes, nuestras acciones y decisiones se basan en nuestros pensamientos y si nuestros pensamientos están apareciendo a un ritmo excesivo, es posible que nuestras acciones y decisiones también se vean afectadas. Además, se ha demostrado que el pensamiento excesivo está asociado con una mayor probabilidad de desarrollar problemas de salud mental como la ansiedad y la depresión. Por lo tanto, para mejorar nuestro bienestar físico y mental, es vital que aprendamos a gestionar nuestros pensamientos.

Tomar las riendas de tus ideas no es una tarea sencilla, pero puede lograrse con un esfuerzo constante y perseverancia. Implica una conciencia persistente de tus pensamientos, así como un esfuerzo por tu parte para cambiar los patrones de pensamiento destructivos. También es esencial tener en cuenta que no se trata de evadir o descartar los pensamientos negativos, sino de aprender a verlos desde una perspectiva diferente y descubrir formas de enfocar las cosas de una manera más optimista.

Si quieres dominar tu monólogo interior, es esencial que hagas un esfuerzo consciente para darte cuenta de los patrones de pensamiento que adoptas. Para ello, debes prestar atención a tus pensamientos y preocupaciones y anotarlos en un cuaderno o en un papel. Esto puede ayudarte a reconocer patrones y temas recurrentes en tus pensamientos, así como proporcionarte una comprensión más profunda de tus ideas y de cómo influyen en tu existencia cotidiana.

Cuando hayas reconocido las formas recurrentes de pensar, puedes pasar a modificarlas. Esto puede suponer un reto, pero es algo que puede lograrse con la suficiente práctica. El replanteamiento cognitivo es un método eficaz que consiste en encontrar un punto de vista alternativo o un enfoque constructivo a un pensamiento negativo, para replantearlo desde una perspectiva más positiva. Por ejemplo, una persona puede optar por replantear la idea como *"aunque esto es un reto ahora mismo, tengo la capacidad de superarlo con tiempo y la ayuda adecuada",* en lugar de pensar *"nunca podré superar esto".*

La meditación y la atención plena, que acabamos de describir, también son técnicas muy útiles. Las prácticas de meditación y atención plena te ayudarán a concentrarte en el aquí y ahora y a dejar ir los pensamientos irrelevantes, lo que te ayudará a reducir el exceso de pensamiento.

También es esencial tener en cuenta que hacerse con el dominio de tus ideas no es algo que pueda lograrse de la noche a la mañana. Se necesita práctica y fuerza de voluntad para lograrlo, pero esos son ingredientes indispensables a la hora de conseguir cualquier logro digno de mérito en tu vida.

En conclusión, si quieres ejercer control sobre tus ideas, tienes que empezar por cultivar la conciencia de tus patrones de pensamiento, reconocer los patrones y temas recurrentes en tus pensamientos y esforzarte por modificarlos. Sólo entonces podrás empezar a ejercer control sobre tus pensamientos. Técnicas como el replanteamiento cognitivo, la meditación y la atención plena pueden ser útiles para lograr este objetivo; sin embargo, requieren perseverancia.

MÉTODOS PARA REDUCIR EL PENSAMIENTO EXCESIVO

En este capítulo, repasaremos y desarrollaremos una serie de tácticas útiles que pueden utilizarse para reducir los pensamientos innecesarios y mejorar nuestro bienestar físico y mental:

La terapia cognitivo-conductual es ampliamente reconocida como uno de los métodos más exitosos para reducir los niveles de pensamiento excesivo (TCC). Los objetivos principales de la terapia cognitivo-conductual (TCC), una forma de psicoterapia, son reconocer y alterar los patrones destructivos de pensamiento y conducta. El terapeuta trabajará con usted para descubrir los patrones de pensamiento negativo que tiene y le ayudará a sustituir esos pensamientos por otros más positivos y más acordes con la realidad. También se pueden utilizar técnicas de relajación, como la respiración lenta y profunda y la meditación, para ayudar en el proceso de liberación de ideas obsesivas.

La terapia de exposición es un método adicional que resulta muy beneficioso. La idea principal de la terapia de exposición es que el nivel de ansiedad de una persona ante un desencadenante concreto puede reducirse exponiéndola a ese desencadenante de forma gradual y bajo supervisión y disminuirla con el tiempo. Enfrentarse directamente a las ideas y acontecimientos que provocan ansiedad puede resultar difícil, pero siendo plenamente conscientes y enfocándonos en mejorar nuestra respuesta a ellos, o con el apoyo de un terapeuta y una práctica constante, se puede terminar convirtiendo en un método muy útil para reducir los pensamientos excesivos. La terapia de exposición es un método que se utiliza en el tratamiento de los trastornos de ansiedad, como el trastorno obsesivo-compulsivo (TOC), el trastorno de pánico, el trastorno de estrés postraumático (TEPT) y el trastorno de ansiedad social (TAS). El objetivo de la terapia de exposición es ayudar al paciente a afrontar y superar sus preocupaciones exponiéndole gradualmente a los estímulos que son la fuente de sus miedos. Esto se consigue mediante la exposición directa a los estímulos que son la fuente de la ansiedad, utilizando métodos como la exposición en vivo, la exposición a través de fotografías o vídeos y la exposición mediante el uso de la imaginación. El paciente en tratamiento de exposición aprende a regular su ansiedad aceptando y afrontando los estímulos temidos en lugar de evitarlos. Esto se consigue mediante el proceso de exposición. La ansiedad del paciente disminuye de forma constante y su capacidad para manejar el estrés mejora gradualmente cuando los estímulos temidos se introducen gradualmente en el paciente.

La terapia de exposición se lleva a cabo bajo la atenta mirada de un terapeuta especializado en la materia, y suele combinarse con técnicas de relajación y terapia cognitivo-conductual con el fin de ayudar a los pacientes a cambiar patrones de pensamiento negativos y desarrollar habilidades para una gestión eficaz del estrés.

La práctica de actividades relajantes, como el yoga o la meditación, también puede ser útil para minimizar los pensamientos excesivos. Salir de casa y participar en actividades como natación, senderismo, yoga y tai chi son formas estupendas de aliviar el estrés y la ansiedad reprimidos. Además, realizar una actividad física con regularidad puede ser útil para mejorar tanto la salud física como la mental, lo que puede ayudar a reducir los niveles excesivos de procesamiento mental.

El método conocido como **"escribir y quemar"** es otra opción de éxito. Consiste en escribir tus problemas e ideas en un papel y quemarlo una vez que hayas terminado de plasmarlos. El mero hecho de apuntar en un papel lo que te inquieta o preocupa y después leerlo, hará que puedas observar esos supuestos problemas con otro punto de vista y, quizá así, empieces a quitarles la importancia o el exceso de atención que les estabas otorgando. Además, el acto de prender fuego simbólicamente a tus problemas y preocupaciones puede ser terapéutico y ayudarte a soltarlos y liberarte de ellos. Será una bonita metáfora de expulsar lo que te preocupa de tu mente y deshacerte de ello quemándolo.

Otra táctica consiste en **reducir el tiempo que se pasa en los sitios de noticias y en las redes sociales**. Aunque estar al día de la actualidad puede ser primordial para muchas personas, pasar demasiado tiempo en las redes sociales y leer noticias deprimentes puede provocar ansiedad y reflexiones excesivas. Hay pocas, o ninguna noticia al día que sea positiva o que dibuje una sonrisa en tu cara. Si estás viendo la televisión oyendo sucesos que no te aportan más que miedo, ira u odio, o en internet mirando una publicación y otra y otra sin llegar a digerir ninguna, te recomiendo que poco a poco vayas reduciendo el tiempo que dedicas a esos hábitos tan dañinos.

Utilizar diferentes **métodos de autohipnosis** también puede resultar una táctica beneficiosa. La autohipnosis es un método que consiste en alcanzar un estado de relajación profunda y utilizar sugestiones para reprogramar la mente de forma positiva y reducir la reflexión excesiva. La autohipnosis es algo que se puede aprender solo o con la ayuda de un especialista. Investiga bien antes de actuar o acude a un experto para que te informe debidamente y descubras en qué consiste esta terapia.

Por último, **la terapia ocupacional** es otra opción de tratamiento que puede ser útil para reducir los niveles de pensamiento excesivo. La terapia ocupacional está orientada a ayudar a las personas a desarrollar las habilidades y los métodos necesarios para llevar a cabo sus actividades cotidianas de un modo más eficaz y satisfactorio. Entre ellas se incluyen la planificación y organización del tiempo, la administración de las tareas y la mejora de la capacidad de comunicación.

En conclusión, hay varias formas productivas de reducir el exceso de pensamiento innecesario. El uso de **técnicas de autohipnosis, la terapia ocupacional, la terapia cognitivo-conductual, la terapia de exposición, la práctica de actividades relajantes, la estrategia de "escribir y quemar", la limitación de la cantidad de tiempo dedicado a las redes sociales y las noticias**, y la práctica de **técnicas de relajación** son algunas de las estrategias.

Hay algunos métodos más que, además de las estrategias descritas anteriormente, pueden ayudar a reducir la cantidad de pensamientos excesivos que se producen:

El método del "espejo mental" es una de estas estrategias. Consiste en ver un yo futuro más inteligente y compasivo que el actual y preguntarle cómo se enfrentaría a una situación o idea concreta. De este modo, se puede ver la situación desde un punto de vista nuevo y más objetivo.

Desarrollar una actitud de agradecimiento también puede ser beneficioso. Puede ser útil cambiar de perspectiva y reducir la cantidad de tiempo que pasamos pensando más de la cuenta si reservamos algo de tiempo cada día para centrarnos en las cosas por las que estamos agradecidos. Simplemente practica la gratitud de forma frecuente y notarás cambios en tu estado de ánimo muy positivos. Puedes empezar anotando en un papel tres cosas por las que estás agradecido al finalizar tu día. Después léelas en voz alta mientras le añades al principio *"gracias por..."*. Seguro que notas una sensación de bienestar muy placentera y, poco a poco, serás capaz de entrenar a tu mente para que se enfoque más en los hechos positivos que estás agradeciendo y deje a un lado lo negativo que te provoca que pienses en exceso.

El método conocido como **"pensamiento lógico"** también puede ser útil para evitar pensar demasiado en una situación. Implica realizar un análisis lógico y racional de una idea o preocupación, así como buscar pruebas que apoyen o contradigan ese pensamiento. Esto puede ayudar a reducir la cantidad de tiempo que se pasa dándole vueltas a las cosas, proporcionando una visión más objetiva y realista de la situación. Cada vez que te sorprendas pensando negativamente o en exceso, di en voz alta *"¿qué me aporta este pensamiento?"*. Después responde a esa pregunta. Luego pregúntate *"¿y eso me favorece o me perjudica?* Responde a esa pregunta. Y, por último, pregúntate: *"entonces ¿me interesa seguir pensando así?* Y responde finalmente a esa pregunta para comprobar por ti mismo cómo seguir pensando de esa forma no te hace ningún bien. Quizá todo este proceso te vaya convenciendo progresivamente de que estás en el camino correcto al querer reducir tu pensamiento excesivo. Y también así, cada vez que ese pensamiento negativo o compulsivo vuelva, tendrás un marcador mental guardado o una respuesta automática positiva que impedirá que pierdas demasiado tiempo pensando en aquello que no te conviene.

La meditación es otro método que puede ayudarte a reducir el tiempo dedicado a pensar. Existen numerosos métodos de meditación, como la meditación de atención plena, la meditación de relajación y la meditación trascendental, por nombrar algunos. Estas tácticas pueden ayudarte a dejar de lado los pensamientos irrelevantes y a concentrarte en el aquí y el ahora. Además, la meditación aportará muchos otros beneficios a tu salud mental y física. Hablaremos más adelante en profundidad sobre esta actividad.

Por último, es esencial tener en cuenta que **modificar ciertos aspectos del propio estilo de vida**, como descansar mejor por la noche, seguir una dieta equilibrada y hacer ejercicio con regularidad, pueden ser medios eficaces para frenar el pensamiento excesivo. Estos ajustes pueden ayudar a mejorar tanto la salud física como la mental, lo que, a su vez, puede ayudar a pensar y a preocuparse menos en general.

Además de las numerosas soluciones que te he presentado hasta ahora, existen aún otros métodos que pueden ayudarte a reducir los niveles de pensamiento excesivo:

El método de "distracción consciente" es una de estas estrategias. Consiste en desviar conscientemente la atención de las ideas y preocupaciones problemáticas participando en actividades placenteras que nos hagan sentir realizados, como crear arte, tocar música o hacer manualidades. Esto tiene el potencial de liberarnos de las ideas compulsivas y reducir el exceso de cavilaciones.

La aceptación, como práctica, también puede ser útil en este sentido. Si comprendemos el hecho de que no se puede controlar todo y que hay cosas que simplemente no se pueden cambiar. Los pensamientos obsesivos y las cavilaciones innecesarias pueden aliviarse en cierta medida aceptando primero que hay cosas que no se pueden controlar y dejando de luchar contra ellas.

El método conocido como "pensamiento opuesto" también puede ser útil para aliviar los síntomas del pensamiento excesivo. Consiste en reconocer las ideas negativas y sustituirlas por pensamientos opuestos que sean más positivos. Por ejemplo, una persona podría sustituir la idea *"soy un fracasado"* por *"he tenido algunos fracasos en el pasado, pero también he tenido éxitos y tengo potencial para tener más éxitos en el futuro"*. Esta sería una forma más positiva de ver la situación.

La estrategia conocida como **la "regla del 20%"** también puede ser útil para reducir las cavilaciones innecesarias. Consiste en reducir la cantidad de tiempo que se dedica a contemplar una determinada obsesión y dedicar ese tiempo a otras cosas beneficiosas para la vida.

En conclusión, es esencial tener en cuenta que superar una tendencia excesiva a darle vueltas a las cosas requiere tiempo y trabajo. Es fundamental practicar la paciencia con uno mismo y abstenerse de establecer expectativas de mejoras rápidas poco realistas. También es necesario aplicar los planteamientos de forma coherente y acudir en busca de apoyo siempre que se tenga la sensación de estar abrumado o cuando no se observe ningún signo de cambio.

MEDITACIÓN Y ATENCIÓN PLENA

Tanto la meditación como la atención plena son prácticas con una larga historia de aplicación en diversos contextos religiosos y culturales, normalmente con el objetivo de alcanzar un estado de conciencia más iluminado y de mejorar la capacidad de centrar la mente en los pensamientos adecuados. Sin embargo, en los últimos años, la meditación y la atención plena también han sido objeto de investigación científica y se ha descubierto que ambas prácticas proporcionan considerables ventajas para la salud mental y física.

La meditación es una técnica de concentración mental que consiste en prestar atención a un objeto específico, como la respiración, un sonido o una imagen, para alcanzar un estado de relajación y claridad mental. Para meditar, el objeto de concentración puede ser cualquier cosa, desde la respiración hasta una imagen. Hay muchos tipos de meditación que pueden realizarse en diversos entornos, como la meditación Zen, la meditación Vipassana y la meditación trascendental, por nombrar sólo algunas.

Por otro lado, el término **"mindfulness"** se refiere a la capacidad de prestar atención al aquí y ahora de forma consciente y libre de juicios. La práctica de la atención plena puede llevarse a cabo en diversos contextos, como durante la meditación, mientras se realizan las actividades habituales o en situaciones concretas, como la actividad física o en el lugar de trabajo. Prácticas como la meditación de atención plena, la meditación Zen y la meditación Vipassana, entre otras, son ejemplos de prácticas que pueden utilizarse para cultivar un estado mental más consciente. Sus fundamentos, una vez interiorizados, pueden aplicarse en el día a día para obtener resultados renovadores y muy terapéuticos.

Por ejemplo, existe lo que se llama **meditación en acción**: consiste en aplicar lo que practicas durante la meditación a tus actividades cotidianas como caminar, trabajar con el ordenador, etc. Cuando estés caminando, por ejemplo, atrae tu atención hacia tus pies: nota el apoyo que te aportan, la fuerza con la que te mantienen, la ligereza y facilidad con la que te hacen moverte hacia delante sin apenas esfuerzo. Siente tu conexión con el suelo.

Este es sólo un pequeño ejemplo de **"meditación en acción"**, o, dicho de otra forma, de cómo podemos sentir más y pensar menos en cualquier momento del día, exactamente igual que cuando practicamos la meditación o la atención plena.

Se ha demostrado que las prácticas de meditación y atención plena tienen efectos positivos significativos en la salud mental y física. Hay múltiples estudios que confirman que la meditación y la atención plena ayudan a reducir el estrés, la ansiedad, la depresión y el dolor crónico; mejoran la memoria, la concentración y el pensamiento creativo; y además potencian la capacidad de afrontar situaciones difíciles.

Se ha demostrado que tanto la meditación como el mindfulness ayudan a mejorar la salud física de varias maneras, como la reducción de la presión arterial, la mejora de la función del sistema inmunitario y la reducción de la probabilidad de desarrollar enfermedades cardíacas. Además, la investigación ha demostrado que la práctica de la meditación y la atención plena puede ayudar a mejorar la calidad del sueño.

Es fundamental practicar la meditación y la atención plena de forma regular y constante para aprovechar las ventajas de estas actividades. También se recomienda a los principiantes que empiecen con sesiones breves y que, con el tiempo, las prolonguen progresivamente. Es esencial encontrar un lugar tranquilo y libre de distracciones para practicar, además de una postura cómoda para uno mismo. Es importante tener en cuenta que meditar y practicar la atención plena no son panaceas que resolverán instantáneamente todos los retos de la vida. Pero desde luego, si practicas de forma regular y con dedicación, obtendrás enormes e innumerables beneficios para tu salud mental, emocional y física.

Si tienes problemas para iniciarte en la práctica o para mantenerla a lo largo del tiempo, puede ser beneficioso buscar el consejo de un terapeuta cualificado o acudir a unas sesiones colectivas en el centro más cercano a tu domicilio.

Existen numerosas técnicas para practicar la meditación y la atención plena, cada una con sus propias ventajas y formas de llevarlas a cabo. Por ejemplo: prestar atención a la respiración y a las sensaciones corporales es el objetivo principal de la meditación de atención plena, mientras que la meditación Zen se centra en la concentración y la recitación repetitiva de un mantra o sonido. Vipassana es un tipo de meditación que se centra en la práctica de observar los propios pensamientos y sensaciones sin juzgarlos, con el fin de obtener una comprensión más profunda tanto de uno mismo como de la naturaleza de la mente.

La meditación y la atención plena no sólo han demostrado ser beneficiosas por sí mismas, sino también para el tratamiento de diversas enfermedades mentales. Según diversos estudios, la práctica de la meditación puede ayudar a aliviar los síntomas de trastornos de ansiedad como el trastorno de pánico, el trastorno obsesivo-compulsivo y el trastorno de estrés postraumático. También se ha demostrado que la meditación ayuda a aliviar algunos de los síntomas de la depresión y a mejorar la calidad de vida general de las personas que luchan contra problemas de salud mental.

También se ha demostrado que la meditación puede ser beneficiosa en el tratamiento del dolor persistente. Los estudios han indicado que quienes padecen dolor crónico, como fibromialgia, artritis o lumbalgia, pueden beneficiarse de una reducción de los niveles de malestar y una mejora de la calidad de vida cuando meditan.

"Le preguntaron al Buda: ¿qué has ganado con la meditación? Él respondió: nada. Sin embargo, te digo que he perdido la ira, la ansiedad, la depresión, la inseguridad y el miedo a la vejez y a la muerte"
Sabiduría budista

Cómo ya hemos descubierto, según diversos estudios, se ha demostrado que la meditación aumenta la función del sistema inmunitario, reduce la presión sanguínea y disminuye las probabilidades de desarrollar enfermedades cardiacas. También se ha demostrado que la meditación puede mejorar la calidad del sueño y ayudar en el tratamiento de adicciones.

Las investigaciones también han revelado que practicar mindfulness puede ser beneficioso para la salud mental. Según diversos estudios, la práctica de la atención plena puede ayudar a las personas a sentirse menos ansiosas y deprimidas, mejorar su bienestar emocional y elevar sus niveles de autoestima y autoeficacia. Las personas que practican mindfulness tienen más probabilidades de ser capaces de manejar mejor las emociones difíciles y de cultivar una mayor compasión y empatía tanto hacia sí mismas como hacia los demás.

Además, las investigaciones han revelado que practicar mindfulness puede mejorar la salud física. La investigación ha indicado que la práctica de mindfulness puede aumentar la función cognitiva, que incluye la memoria, así como la capacidad de concentrarse en una cosa. También se ha demostrado que el entrenamiento de mindfulness mejora la salud cardiovascular y reduce las probabilidades de desarrollar enfermedades crónicas como la diabetes y la obesidad.

Es esencial reconocer que la meditación y la atención plena no son estrategias que compitan entre sí, sino más bien técnicas que se potencian mutuamente y que su práctica puede mejorar si se trabajan conjuntamente. Además, es probable que cada persona experimente beneficios diferentes en función de sus circunstancias particulares y de las estrategias que decida poner en práctica. Es esencial que cada individuo descubra un método adecuado para sí mismo, así como un horario de práctica regular que funcione para él.

En conclusión, la meditación y la atención plena son dos prácticas que existen desde hace mucho tiempo y que han demostrado ofrecer ventajas considerables para la salud mental y física. Tener una rutina y cumplirla puede ayudar a reducir el estrés, la ansiedad y la depresión; mejorar la memoria, la concentración y la creatividad y aumentar la capacidad para afrontar situaciones difíciles.

Como práctica de meditación inicial, prueba lo siguiente:

Busca un entorno tranquilo y relajante: es esencial que puedas concentrarte sin que te molesten los estímulos externos. Siéntate en una silla o en el suelo y asegúrate de tener la espalda completamente recta.

Presta atención a tu respiración mientras cierras los ojos: inspira lenta y profundamente por la nariz llevando el aire hasta el estómago y expira lentamente por la boca, siempre sin forzarte o sin sobrepasar tus límites para que puedas realizar la práctica con naturalidad y comodidad. Repítelo varias veces hasta que te sientas completamente a gusto.

Pon toda tu atención en el aquí y el ahora y no te preocupes por nada que no sea lo que está ocurriendo ahora mismo. En lugar de rumiar el pasado o el futuro, vuelve a centrar tu atención en el aquí y el ahora.

Vigila tus pensamientos: si surgen pensamientos, lo único que tienes que hacer es notarlos sin juzgarte. Obsérvalos tal y como son sin opinar y luego déjalos ir; no intentes reprimirlos ni hacer que desaparezcan.

Mantén la concentración: trata de mantener tu enfoque en la respiración y en el momento presente. Si te das cuenta de que tu mente ha divagado, simplemente vuelve a centrar tu atención en la respiración y en el momento en el que te encuentras.

Pon fin a la actividad: cuando sientas que has sido capaz de mantener la atención durante un tiempo, debes abrir los ojos y respirar hondo unas cuantas veces, y continuar donde lo habías dejado. Antes de levantarte, debes darte unos instantes para ordenar tus pensamientos y volver a entrar en contacto con el presente.

Ten en cuenta que la meditación es una práctica que requiere persistencia y un esfuerzo constante. Si al principio descubres que te cuesta concentrarte, intenta que esto no te desanime. Después de algún tiempo, descubrirás que te resulta más sencillo mantener la concentración y también experimentarás los beneficios y la relajación que conlleva la meditación.

DISTRACCIONES CONSCIENTES

La gestión de los pensamientos excesivos y de la ansiedad puede lograrse mediante la práctica de distracciones conscientes. El objetivo de realizar actividades que se consideran distracciones conscientes es volver a centrar la atención en algo que no sean los pensamientos y sentimientos ansiosos e improductivos.

Utilizar distracciones conscientes puede hacerse de diferentes maneras. Algunas personas pueden sentir que dedicarse a pasatiempos físicos como la jardinería, el arte o el ejercicio les ayuda a distraer eficazmente su atención de los pensamientos desagradables, mientras que otras personas pueden encontrar que dedicarse a estas actividades no tiene tal efecto. Para algunas personas, encontrar una distracción es tan sencillo como leer un libro, ir al cine o pasar momentos con sus seres queridos y amigos.

Es esencial tener en cuenta que el uso de distracciones intencionadas como solución a largo plazo para los problemas de pensamiento excesivo y ansiedad no es una opción viable. Es más vital aprender a hacer frente a las ideas negativas y controlarlas adecuadamente que intentar evitarlas por completo. Por otro lado, las distracciones conscientes tienen el potencial de ser una herramienta útil que puede ofrecer a las personas un respiro momentáneo y ayudarles a gestionar mejor sus pensamientos y sentimientos a corto plazo.

El método conocido como **"cambio de canal"** es una herramienta excelente para emplear distracciones conscientes de forma eficaz. El primer paso de esta estrategia consiste en tomar conciencia de los momentos en los que uno está pensando en algo desfavorable o estresante. El siguiente paso es tomar la decisión deliberada de sustituir esa idea por otra más positiva o útil. Una persona puede, por ejemplo, decidir pensar en un recuerdo agradable o planificar un viaje para el futuro en lugar de concentrarse en un problema que ha surgido en su lugar de trabajo. Es esencial tener en cuenta que no se trata de suprimir o evadir los pensamientos desagradables, sino de darles menos prioridad y dirigir la atención hacia algo más optimista.

Utilizar lo que se conoce como **la estrategia del "ancla positiva"** es otro método para usar distracciones conscientes. El pensamiento excesivo y la ansiedad pueden manejarse eficazmente con el uso de distracciones conscientes cuando se emplea el enfoque de anclaje positivo. El propósito de asociar un pensamiento o actividad positiva con un pensamiento o situación negativa es hacer más fácil recordar ese pensamiento o actividad positiva en respuesta a la ocurrencia del pensamiento o situación negativa. Esto le permitirá cambiar su estado emocional y distraer su mente de la experiencia desagradable.

Por ejemplo, una persona que se sienta preocupada antes de acudir a una entrevista de trabajo puede optar por pensar en el recuerdo de un logro anterior o escuchar una canción que le haga sentirse seguro y confiado en sí mismo. Ambas estrategias pueden ayudar al individuo. Cuando una persona se siente nerviosa, debe seleccionar una canción que le haga pensar en un acontecimiento o logro importante de su vida y debe escuchar esa música siempre que se sienta ansiosa; esto le ayudará a cambiar cómo se siente.

La estrategia de utilizar un ancla positiva también puede emplearse en circunstancias estresantes para cambiar el estado mental antes de un acontecimiento crucial. Por ejemplo, una persona puede decidir realizar un ejercicio de relajación o visualizar mentalmente un momento en el que se sentía cómoda y segura antes de hacer una presentación importante. Así se sentiría mejor preparada y menos aprensiva antes de la presentación.

Es importante tener en cuenta que el enfoque de anclaje positivo no pretende ser una solución permanente a los problemas de pensamiento excesivo y ansiedad, sino más bien una herramienta a corto plazo que puede ayudar a gestionar mejor los pensamientos y sentimientos negativos. Es esencial adquirir las habilidades necesarias para afrontar con éxito los problemas y esforzarse por resolverlos.

Hay tener en cuenta que las distracciones conscientes no pueden ser automáticas, sino que deben realizarse conscientemente. No es una distracción consciente, por ejemplo, alejarse de los problemas o intentar huir de ellos. Es necesario adquirir las habilidades necesarias para afrontar los retos de frente y avanzar de forma productiva en su resolución.

En pocas palabras, las distracciones conscientes son un método que se utiliza para controlar los pensamientos excesivos y la ansiedad. El método funciona desviando la atención del individuo de los pensamientos desfavorables y las ansiedades hacia algo más constructivo o positivo. No es una solución a largo plazo y es importante aprender a afrontar los problemas y trabajar en ellos con eficacia. Puede ser una herramienta útil para proporcionar un respiro temporal y ayudar a las personas a gestionar mejor sus pensamientos y emociones. De esta forma también, podemos sentir un alivio pasajero de nuestra sobrecarga de pensamiento y darnos cuenta de que existen muchos métodos sencillos que puede verdaderamente ayudarnos a mejorar nuestra situación. Es un pequeño paso que nos motivará poderosamente a seguir avanzando en nuestra mejoría y a comprender cómo funciona nuestra mente, aceptarlo y, paso a paso, empezar a controlarla y dirigirla por caminos más confortables y relajados. Es una técnica ideal para comenzar a probar y así ir avanzando en tu crecimiento personal de forma suave y progresiva.

REPLANTEAMIENTO DE LOS PENSAMIENTOS NEGATIVOS

La gestión de los pensamientos excesivos, así como de la ansiedad, puede ayudarse utilizando una **técnica llamada reencuadre o replanteamiento de los pensamientos**. El objetivo de la estrategia de replanteamiento es modificar la perspectiva de los pensamientos desfavorables para verlos de un modo más constructivo y positivo.

Cambiar los pensamientos negativos, como *"no puedo hacerlo",* por otros más positivos, como *"voy a hacerlo lo mejor que pueda",* es un ejemplo habitual de reencuadre o replanteamiento. El replanteamiento pone el énfasis en lo que eres capaz de conseguir, en lugar de en lo que eres incapaz de conseguir.

Otro ejemplo de reencuadre es sustituir una mentalidad negativa, como *"nunca tengo éxito",* por otra más positiva, como *"he tenido algunos fracasos, pero también he tenido éxitos y seguiré aprendiendo de mis errores".* El replanteamiento hace hincapié en los conceptos de aprendizaje y desarrollo, en lugar de considerar el fracaso como la conclusión de todo.

La modificación del marco de referencia también puede utilizarse para cambiar el pensamiento de una perspectiva catastrófica a otra más razonable. Por ejemplo, en lugar de pensar *"si no apruebo este examen, mi vida será un fracaso"*, el reencuadre se concentra en el concepto de *"si no apruebo este examen, tendré que esforzarme para aprobarlo la próxima vez y seguiré desarrollándome en mi trabajo"*.

Ten en cuenta que el replanteamiento, al igual que las distracciones conscientes, no implica ignorar o eludir los problemas, sino verlos desde una perspectiva diferente. Esto es lo que se entiende por "reencuadre". El proceso de replanteamiento no es una panacea, sino una técnica que puede ayudar a las personas a gestionar mejor tanto sus pensamientos como sus sentimientos.

Practica de forma regular y continuada el replanteamiento de los pensamientos negativos. Puede requerir cierto esfuerzo y práctica, pero el replanteamiento puede ayudar a las personas a ver las cosas de un modo más positivo y constructivo más adelante, lo que puede tener un impacto sustancial en su bienestar emocional y físico.

El replanteamiento es un proceso que nos puede ayudar de una forma sencilla y eficaz, pero, a medida que aparecen nuevos problemas y preocupaciones, puede ser necesario realizar alteraciones y cambios de perspectiva sobre las creencias desfavorables.

En pocas palabras, el replanteamiento de las ideas negativas es una estrategia que, al igual que todas las descritas en este libro, se utiliza para gestionar los pensamientos excesivos y la ansiedad. Cambiar la forma en que se perciben las ideas negativas para verlas desde una perspectiva más positiva y constructiva, buscar soluciones y aprender en lugar de concentrarse en los aspectos negativos de una situación son todos componentes de esta estrategia.

Reencuadrar las creencias negativas puede repercutir favorablemente en la vida cotidiana y en las relaciones, además de tener un efecto beneficioso en el bienestar mental y emocional. Cuando se tiene una visión más optimista y constructiva, es más probable tomar decisiones más sanas y manejar mejor las situaciones estresantes. Evitar el círculo vicioso del pensamiento negativo y, en consecuencia, del diálogo negativo con los demás, es otra forma de ayudar a mejorar las relaciones.

El replanteamiento o reencuadre de pensamientos no es una solución mágica instantánea a todos nuestros problemas y puede requerir esfuerzo y práctica antes de producir los resultados deseados. La ayuda de un terapeuta o entrenador especializado puede hacer que el proceso de replanteamiento sea más manejable para determinadas personas. Estos especialistas pueden ayudar a reconocer patrones de pensamiento destructivos y enseñar métodos para modificar esos hábitos.

En conclusión, una estrategia eficaz para hacer frente al exceso de pensamientos y preocupaciones es replantear los pensamientos desagradables de otra manera.

Ejercicio práctico:

A continuación, se presenta un ejemplo de actividad útil para replantearse formas de pensar poco útiles:

- Anota una idea desfavorable que te haya rondado por la cabeza con frecuencia: Por ejemplo: *"no soy lo suficientemente bueno para hacer esto"*.
- Determina los componentes fundamentales de esta línea de pensamiento destructiva, como *"no pienso que sea lo bastante bueno"*.
- Encuentre una perspectiva que sea a la vez más optimista y acorde con la realidad: Por ejemplo, uno puede decir: *"he metido la pata en el pasado, pero también he conseguido cosas importantes, y soy capaz de aprender y mejorar"*.
- Repite el proceso de reestructurar cada uno de tus pensamientos negativos con la ayuda de esta guía. Puede ser beneficioso escribirlos para tenerlos en un lugar tangible y poder trabajar con ellos de forma más concreta.

- Repetir este ejercicio una y otra vez puede ayudarte a desarrollar el hábito de replantearte las cosas desde un punto de vista más positivo, lo que te permitirá percibir las circunstancias difíciles desde una perspectiva más constructiva.

- Reencuadrar los pensamientos negativos puede ser un proceso difícil al principio, pero se hace más fácil con la experiencia y puede tener un gran impacto positivo en la vida cotidiana. Es vital recordar esto, ya que es crucial hacer hincapié en que este proceso puede ser difícil al comenzar, pero no por ello debes rendirte fácilmente, ya que los efectos positivos y mejoras a largo plazo en tu salud mental y emocional serán muy beneficiosos.

ESCRIBIR Y LIBERAR PENSAMIENTOS

Una estrategia para abordar tanto el pensamiento excesivo como la ansiedad consiste en plasmar los pensamientos en un papel y dejarlos salir. Escribir los pensamientos y preocupaciones en un diario o cuaderno con la intención de liberar la mente de esas ideas y mejorar la claridad mental y la paz de espíritu es el método que se conoce como llevar un diario.

Escribir tus pensamientos y preocupaciones en lugar de guardarlos en tu cabeza produce grandes beneficios al liberarlos a través de la escritura. Escribir también te da la oportunidad de organizar y priorizar mejor tus ideas y preocupaciones, además de poder exteriorizar esos pensamientos que te atormentan y así poder observarlos desde una perspectiva más objetiva. Es posible que, gracias a esto, puedas ver tus pensamientos bajo una nueva luz y obtener respuestas más útiles.

Escribir y dar rienda suelta a las propias ideas tiene varias ventajas: una de las cuales es la capacidad de ayudar a las personas a reconocer patrones de pensamiento destructivos y desarrollar estrategias prácticas para superarlos. El acto de poner por escrito los pensamientos y preocupaciones hace que sea mucho más sencillo identificar las preocupaciones recurrentes y elegir la mejor manera de abordarlas.

Escribir las cosas y dejarlas ir es otra forma de que las personas puedan empezar a procesar más racionalmente sus sentimientos. Escribiendo, las personas pueden comprender mejor sus pensamientos, que más tarde originarán sentimientos y sensaciones y descubrir así estrategias más constructivas para afrontarlos.

Es esencial tener en cuenta que escribir las propias ideas y liberarlas es una técnica para comenzar a trabajar a corto plazo y no una solución permanente a los problemas del pensamiento excesivo y la preocupación. Es vital entender cómo afrontar las dificultades y trabajar en ellas con éxito, además de comprender cómo relajarnos y observar los sucesos que normalmente nos estresan desde un punto de vista más calmado y práctico. Aprender a hacer bien todo lo anterior es importante.

Empieza por escribir las ideas, preocupaciones y otras reflexiones en un diario o bloc de notas con la intención de despejar la mente de esas reflexiones y permitir una mayor claridad y calma en tu mente.

Las personas que practican esta técnica pueden adquirir una nueva perspectiva de sus pensamientos, aprender a reconocer patrones de pensamiento destructivos y mejorar su capacidad para manejar sus sentimientos.

Poner por escrito las ideas y darles salida es beneficioso por varias razones, una de las cuales es que puede ayudar a las personas a establecer sus metas y aspiraciones. Es mucho más sencillo reconocer los obstáculos que hay que superar y los objetivos que hay que perseguir si uno escribe sus ideas y preocupaciones. De este modo, las personas podrán concentrarse mejor en lo que realmente les importa y trabajar para encontrar una solución constructiva.

Además, el acto de escribir las ideas y dejarlas fluir puede ayudar a las personas a ser más conscientes de sí mismas. Es mucho más sencillo comprender cómo influyen los sentimientos y pensamientos en la vida cotidiana y cómo gestionarlos adecuadamente si uno simplemente escribe sus ideas y preocupaciones.

Es fundamental tener en cuenta que el acto de anotar las ideas y dejarlas salir no tiene por qué ser oficial ni ordenado en modo alguno. Llevar un registro de las ideas y preocupaciones puede ser tan sencillo como escribirlas en un bloc de notas o utilizar la aplicación de notas del smartphone. Disponer de un lugar seguro y discreto en el que escribir y expresar las propias opiniones es de suma importancia.

Puede ayudar a las personas a percibir sus pensamientos bajo una nueva luz, reconocer patrones de pensamiento perjudiciales, mejorar su capacidad para procesar sus sentimientos, establecer metas y objetivos y aumentar su nivel de autoconciencia. Si tiene problemas para controlar sus pensamientos excesivos y su ansiedad, es importante que recuerde que escribir sus pensamientos y dejarlos ir es sólo una herramienta temporal.

Además, escribir y liberar los pensamientos puede ser una forma de llevar un registro de cómo se han ido gestionando los problemas y los pensamientos a lo largo del tiempo. Este registro puede ayudarle a ver el progreso y a tomar decisiones informadas sobre cómo seguir controlando el pensamiento excesivo.

Es esencial tener en cuenta que este procedimiento debe realizarse de forma constante. Sólo así se pueden identificar los patrones y las tendencias de los pensamientos y los problemas y sólo entonces se puede tratar de resolverlos con éxito. Esta puede ser una estrategia útil para evitar que el pensamiento excesivo se convierta en un problema importante y para mejorar la salud mental y emocional a un nivel más holístico.

Escribir los pensamientos y dejarlos ir puede ser útil no sólo para las personas que tienen problemas de ansiedad o pensamiento excesivo, sino para cualquiera que desee mejorar su bienestar mental y emocional. Es una herramienta que puede ser eficaz para procesar sentimientos y experiencias, establecer metas y objetivos y mantener un registro de cómo se han controlado el pensamiento y las emociones a lo largo de este proceso.

En resumen, escribir las ideas y dejar que se liberen es una estrategia eficaz para regular tanto el pensamiento excesivo como la preocupación.

Otro aspecto a tener en cuenta a la hora de escribir y compartir pensamientos es la privacidad. Es fundamental asegurarse de que el diario o bloc de notas donde anotas tus pensamientos e inquietudes se encuentra en un lugar seguro y privado, para evitar que otras personas puedan verlo o leerlo. También es factible escribir en un documento en un ordenador o en una aplicación de notas en un dispositivo móvil; sin embargo, es esencial asegurarse de que el documento está protegido con una contraseña.

Además, es fundamental no juzgarse demasiado a uno mismo al escribir y liberar pensamientos. No es bueno castigarse por tener pensamientos negativos o ansiedad, ya que es una parte típica de la experiencia humana. El propósito de procesar y liberar tus pensamientos a través de la escritura no es juzgarte por los pensamientos en sí, sino procesarlos y liberarlos.

Ejercicio práctico:
- Poner las ideas por escrito y dejarlas ir
- Preparación: consigue un cuaderno y un lápiz o bolígrafo, o abre una aplicación para tomar notas en tu dispositivo móvil u ordenador.
- Por favor, tómate unos momentos para relajarte y concéntrate en tu respiración mientras lo haces. Si quieres, puedes cerrar los ojos ahora mismo.

- Empieza a escribir sin hacer pausas. Escribe lo que se te ocurra sin censurar ni criticar lo que pones por escrito. No hagas pausas ni intentes arreglar el texto. Continúa escribiendo hasta que no quede nada más que decir o escribir.

- Lee lo que has escrito. ¿Hay patrones de pensamiento negativos o pensamientos recurrentes que se repiten? Toma nota de estas tendencias recurrentes en una página aparte.

- Haz una lista de pensamientos pesimistas o restrictivos y, para cada uno de ellos, escribe una respuesta optimista o basada en la realidad. Ejemplo*: "Soy un fracasado" -> "He tenido éxitos y fracasos en mi vida, y eso forma parte del proceso de aprender y evolucionar".*

- Elimina la nota destruyéndola, quemándola o tirándola, borrándola o cerrando la aplicación de notas. Esta actividad te ayudará a desprenderte de tus pensamientos en lugar de guardarlos para un examen posterior.

- Tómate un momento para pensar en la actividad y en cómo te sientes al respecto ahora que has terminado de escribir y soltar tus pensamientos.

Puedes realizar este ejercicio a diario o en cualquier otro momento en que te sientas abrumado por tus pensamientos. Poner por escrito tus pensamientos y liberarlos al mundo te permite lograr una mayor claridad mental y aliviar la presión emocional.

LA IMPORTANCIA DE REALIZAR EJERCICIO

Nuestro bienestar emocional y físico depende de que practiquemos una actividad física regular. Un estudio realizado por el Instituto Nacional de Salud Mental de Estados Unidos ha descubierto que el ejercicio regular puede ser tan útil como los medicamentos en el tratamiento de la ansiedad y la depresión. Además, la actividad física puede ayudar a mejorar el estado de ánimo, aumentar la autoestima y reducir los niveles de estrés.

Las endorfinas también se conocen como las "hormonas de la felicidad" y una de las principales razones por las que el ejercicio es tan útil es porque provoca su liberación. Estas hormonas alivian el dolor y levantan el ánimo. También se ha demostrado que ayudan a reducir los síntomas de ansiedad y tristeza.

La actividad que pone el cuerpo en movimiento no sólo tiene efectos positivos en la mente, sino también en el propio cuerpo. Los Centros para el Control y la Prevención de Enfermedades de Estados Unidos afirman que la práctica regular de actividad física puede ayudar a prevenir las enfermedades coronarias, la diabetes y la obesidad. Además, puede ayudar a mantener un peso saludable y promover la salud de los sistemas cardiovascular y respiratorio.

Pero ¿qué deporte o ejercicio es el más beneficioso? La respuesta correcta es que cualquier forma de actividad física es preferible a ninguna. Lo más importante es encontrar una afición o un pasatiempo que le guste y que pueda integrar fácilmente en su horario habitual. A algunas personas les gusta hacer ejercicio al aire libre, mientras que otras prefieren ir al gimnasio. Otros prefieren el boxeo o el ciclismo, mientras que otros prefieren actividades como el yoga o el pilates. Encuentre algo que pueda hacer con frecuencia y con lo que disfrute. Esto es lo más importante.

Un estudio publicado también en la revista "The Lancet" descubrió que sólo 15 minutos de actividad física al día reducen significativamente el riesgo de muerte prematura y que el ejercicio de moderado a intenso, como caminar a paso ligero, montar en bicicleta o nadar, reduce el riesgo de enfermedad cardiovascular en un 30%.

Hay una gran variedad de actividades que pueden servir como puntos de entrada a un estilo de vida más activo físicamente. Una opción es realizar ejercicios en casa, como sentadillas y flexiones durante las pausas publicitarias mientras se ve la televisión. Otra opción es renunciar al uso de un vehículo y desplazarse a pie o en bicicleta. También tiene la opción de incluir alguna forma de actividad física en su trabajo, como dar paseos durante las pausas.

Para mantener nuestra salud física y mental, es imprescindible que practiquemos una actividad física regular. La falta de ejercicio físico es uno de los principales factores de riesgo de enfermedades no transmisibles como la diabetes, las cardiopatías y algunos tipos de cáncer, según un estudio realizado por la Organización Mundial de la Salud (OMS). Además, se ha demostrado que el ejercicio regular reduce el riesgo de padecer trastornos mentales como la ansiedad y la depresión.

Un estudio realizado en la Universidad de Harvard descubrió que el ejercicio regular puede reducir la incidencia de la depresión hasta en un 25%. También se ha demostrado que la actividad física puede mejorar la función cerebral y aumentar el número de conexiones neuronales en regiones importantes del cerebro relacionadas con el aprendizaje y la memoria.

Además, la actividad física tiene efectos beneficiosos sobre la salud física. Según las conclusiones de un estudio realizado por el American College of Sports Medicine, la práctica regular de actividad física ayuda a minimizar las probabilidades de desarrollar enfermedades cardiovasculares y accidentes cerebrovasculares. Además, numerosos estudios han demostrado que el ejercicio regular puede aumentar la densidad ósea, lo que a su vez puede ayudar a prevenir la osteoporosis.

Y practicar ejercicio de forma regular no sólo tiene efectos positivos sobre la salud, la actividad física regular puede contribuir a mejorar la calidad de vida en general. Las personas que hacen ejercicio con frecuencia afirman tener una mayor sensación general de bienestar, así como un mayor nivel de autoestima, según las conclusiones de un proyecto de investigación llevado a cabo por la Universidad de Cambridge.

En conclusión, la práctica de actividad física es necesaria para el mantenimiento de nuestra salud corporal y mental con el fin de alcanzar un bienestar óptimo. Es esencial tener en cuenta que los beneficios de la actividad física también pueden obtenerse mediante actividades menos difíciles. Si quiere mejorar su salud, intente salir a caminar todos los días, dar un paseo por el parque o incluso simplemente subir las escaleras en lugar de coger el ascensor. Lo esencial es descubrir algo que le guste hacer y convertirlo en un hábito frecuente.

APLICAR LAS ESTRATEGIAS EN TU VIDA

Llegados a este punto del libro, vamos a examinar cómo incorporar a nuestra vida diaria los métodos y enfoques analizados en los capítulos anteriores.

La atención plena es el primer paso para poner en práctica cualquiera de estas estrategias. Es esencial que seamos conscientes de nuestros pensamientos y estemos lo suficientemente atentos para reconocer cuándo empezamos a incurrir en un patrón de pensamiento excesivo. En cuanto seamos conscientes de ello, podremos actuar para romper el ciclo y sustituirlo por un pensamiento más constructivo y beneficioso.

La meditación y la atención plena son dos de las prácticas que han demostrado ser más útiles para la vida cotidiana. Mediante la meditación, somos más capaces de despejar nuestra mente de pensamientos desagradables o que nos distraen en exceso y volver a centrar nuestra atención en el aquí y el ahora. Por otro lado, la práctica de la atención plena nos permite prestar menos atención a los pensamientos negativos o que nos distraen y estar más presentes en las cosas que hacemos a diario.

La distracción consciente es otro método útil que puede utilizarse en la vida cotidiana. Los pensamientos negativos son algo que no debemos tratar de evitar o descartar sino que podemos aprender a distraernos activamente de ellos. Esto puede implicar cosas como leer un libro, ver una película, hacer algo de ejercicio o incluso simplemente dar un paseo.

En la vida cotidiana, **la utilización de anclajes positivos** también puede ser una estrategia eficaz. Se puede decir que una idea o sensación que se asocia a un estado de ánimo positivo tiene un ancla positiva, que puede ser un objeto o una actividad. Por ejemplo, podríamos identificar una sensación de felicidad con una música que tenga un ritmo alegre, o podríamos asociar una sensación de serenidad con un entorno que sea tranquilo. Utilizando estos anclajes positivos, podemos ayudarnos a recordar estos pensamientos y estados emocionales positivos siempre que nos encontremos en una situación estresante o de exceso de pensamientos.

Por último, pero no por ello menos importante, **el tratamiento de exposición** puede ser un método beneficioso que puede aplicarse en la vida cotidiana. Enfrentarse directamente a las ideas o circunstancias que provocan sentimientos de preocupación o tensión como parte de la terapia de exposición se hace con la intención de empezar a desensibilizarse progresivamente uno mismo a los factores desencadenantes. Tenemos el potencial de desensibilizarnos a estos pensamientos o situaciones a medida que continuamos exponiéndonos a ellos de forma gradual y consciente.

Además, es esencial descubrir aplicaciones prácticas de estas técnicas que puedan aplicarse en la vida cotidiana. Por ejemplo, en lugar de evitar una situación que nos produce ansiedad, podemos optar por abordarla deliberadamente y utilizar **tácticas de replanteamiento** para modificar nuestra perspectiva.

Es esencial señalar que la incorporación de estas estrategias a nuestra rutina habitual es fundamental si queremos lograr una transformación que sea duradera en nuestra forma de pensar. Las estrategias que hemos aprendido, deben practicarse a menudo y una forma de lograrlo es fijar un tiempo determinado en nuestro calendario para hacerlo. La práctica constante es vital a la hora de producir cambios notables en nuestros procesos mentales. Según un estudio realizado por la Universidad de Oxford, meditar con regularidad durante ocho semanas reduce en un 44% el riesgo de padecer problemas de salud mental como la tristeza y la ansiedad.

Además, una investigación llevada a cabo en la Universidad de Harvard reveló que los participantes que hacían ejercicio sólo treinta minutos al día a una intensidad moderada tenían un 30% menos de probabilidades de desarrollar depresión.

Para concluir, es esencial subrayar que poner en práctica estas técnicas en nuestro día a día no garantiza que nos libraremos de todos los pensamientos desfavorables; más bien, asegura que seremos más capaces de controlar y dirigir esos pensamientos. Según una cita atribuida a Sócrates, el antiguo filósofo griego, *"Conocerse a sí mismo es el principio de toda sabiduría"*.

IDENTIFICAR LOS DETONANTES DEL EXCESO DE PENSAMIENTO

Para comprender cómo nuestras actividades cotidianas pueden influir en nuestra mente y cómo podemos tomar medidas para evitar el pensamiento desmesurado, es fundamental comprender el capítulo "Identificar los detonantes del exceso de pensamiento".

Para empezar, es esencial tener una comprensión sólida de lo que significa "pensar demasiado": la tendencia a rumiar problemas o preocupaciones de forma continuada que no conducen a una resolución se denomina "pensar en exceso". Esto puede tener un efecto perjudicial tanto para nuestra salud mental como física.

Los factores o detonantes del pensamiento excesivo son los que provocan una respuesta emocional negativa, que a su vez conduce a los pensamientos obsesivos. El estrés del trabajo, las disputas interpersonales y las dificultades en la vida personal o financiera son ejemplos de causas de pensar en exceso.

Es fundamental que llevemos un diario en el que registremos nuestros sentimientos e ideas para poder identificar correctamente nuestros propios desencadenantes. Gracias a ello, podremos reconocer patrones y conexiones entre nuestros comportamientos y los pensamientos excesivos que tenemos.

Una vez que hemos descubierto nuestros factores desencadenantes, podemos tomar medidas para evitarlos o manejarlos con éxito. Esto podría implicar alteraciones de nuestro horario habitual, la participación en terapia o la nueva práctica de alguna actividad relajante, técnicas de relajación, como la meditación o la respiración profunda o algún tipo de deporte o ejercicio físico.

Es fundamental darse cuenta de que no podemos evitar todos los factores desencadenantes de pensamiento excesivo de nuestra vida, pero podemos aprender a gestionarlos eficazmente para disminuir el exceso de pensamiento.

Además, es esencial tener en cuenta que, en unos pocos casos, pensar en exceso podría ser un signo de una enfermedad de ansiedad o depresión subyacente. Esto es algo que debe tenerse presente en todo momento.

También es esencial tener en cuenta que pensar demasiado puede ser una respuesta condicionada. Ésta es una de las cosas más importantes que hay que tener en cuenta. Esto significa que, si se permite que el pensamiento excesivo continúe sin intervención, cada vez será más difícil de controlar. Por ello, es fundamental empezar a intervenir lo antes posible.

En conclusión, averiguar las causas de los pensamientos obsesivos es un paso necesario antes de poder concentrarse en desarrollar métodos eficaces para tratarlos. Si cree que sus pensamientos excesivos están teniendo un impacto sustancial en su vida cotidiana, o pensar en exceso viene acompañado de síntomas adicionales como ansiedad o depresión, es imperativo que busque la ayuda de un especialista.

El yoga y la técnica de respiración diafragmática son dos ejemplos de los tipos de métodos de relajación que se tratan en este capítulo.

Además, **la relajación progresiva de Jacobson** es un método que puede resultar útil. Se trata de una técnica de relajación que consiste en tensar y relajar progresivamente distintos grupos musculares. Es una técnica que ayuda a aliviar la tensión acumulada en el cuerpo y reduce el estrés. Bastará con tensar por unos cinco a diez segundos los músculos que se deseen relajar y después soltar esa tensión.

Las personas que padecen un trastorno obsesivo-compulsivo pueden beneficiarse de la práctica de la **meditación de atención plena**, como se demostró en un estudio publicado recientemente en la revista Frontiers in Human Neuroscience. El estudio descubrió que la meditación de atención plena tenía un impacto positivo en la reducción de los pensamientos negativos y repetitivos (TOC).

Otro estudio publicado en la revista Depression and Anxiety indicó que **la terapia de exposición** es beneficiosa para reducir el número de pensamientos intrusivos que experimentan las personas que padecen trastorno de estrés postraumático (TEPT).

Según las conclusiones de un exhaustivo estudio publicado recientemente en el Journal of Consulting and Clinical Psychology, **la práctica de actividad física** tiene una influencia beneficiosa en la disminución de los niveles de ansiedad y tristeza, y también puede ayudar a reducir los niveles de cognición negativa.

Un estudio publicado en la revista Behaviour Research and Therapy indicó que **el replanteamiento cognitivo**, que es una estrategia para redireccionar el pensamiento, es beneficioso para reducir el número de pensamientos negativos que experimentan las personas con trastorno depresivo grave.

Una vez que decidas que quieres mejorar tu estado, **comienza por hacer un pequeño "tour" por las técnicas y** ejercicios que te propongo en este libro. Pon en práctica todos ellos o el que más te llame la atención y pienses que encaje contigo. Después incorpóralo a tu calendario o *planning* semanal y mantén la práctica por unas semanas para observar resultados consistentes. Recuerda no rendirte a la primera de cambio y tener claro que no existen las soluciones milagrosas o los atajos cuando se trata de conseguir algo bueno y que perdure en la vida.

Todas las técnicas y actividades que te comparto en este libro son naturales, seguras y eficaces y no tienen riesgo alguno para tu salud. Han sido probadas y puestas en práctica por mi mismo y por cientos de miles sino millones de personas a lo largo del mundo. Existen numerosos estudios que las avalan y apoyan por sus numerosos efectos positivos y beneficios para tu salud mental, emocional y física. Cuando las pongas en práctica de forma consistente, observarás tremendos resultados en tu calidad de vida y bienestar.

Te animo desde aquí a que comiences cuanto antes y a que tengas confianza plena en que puedes mejorar con estos conocimientos.

DESARROLLAR UN PLAN DE ACCIÓN

Para resolver el problema del exceso de pensamiento, es necesario crear un plan de acción. Para avanzar hacia un objetivo deseado, es fundamental establecer una estrategia que sea a la vez específica y organizada. La creación de un plan de acción eficaz implica una serie de pasos fundamentales, que se describen a continuación:

- Reconocer los patrones improductivos de pensamiento y comportamiento: es esencial ser consciente de los hábitos de pensamiento y comportamiento poco útiles que contribuyen a nuestra tendencia a reflexionar en exceso. Poner por escrito estos patrones de pensamiento y comportamiento puede ayudar a reconocerlos con mayor claridad. Esto se puede lograr llevando un diario de pensamientos o simplemente siendo consciente de los pensamientos que pasan por la cabeza en distintos momentos del día.

- Fijar objetivos: una vez reconocidos los patrones de pensamiento y los comportamientos desfavorables, el siguiente paso es formular objetivos específicos con los que hacerles frente. Estos objetivos deben ser concretos, medibles, alcanzables, pertinentes y limitados en el tiempo.

- Utilizar estrategias: es esencial hacer uso de los métodos que ya se han aprendido, como la meditación y la atención plena, la terapia de exposición, las anclas positivas, escribir y liberar pensamientos, el reencuadre y la distracción consciente, para lograr los objetivos que se han fijado.

- Revisar y evaluar periódicamente los progresos realizados: examinar y evaluar periódicamente los progresos realizados hacia la consecución de los objetivos fijados es importante para construir tu confianza y seguir avanzando con decisión. Esto ayudará a identificar cualquier problema o reto, lo que permitirá modificar el plan de acción en consecuencia.

- Es imperativo que no intentes manejarlo todo tú solo y que, en caso de sentir que no consigues avances o que te supera la situación, busques apoyo. Cuando se atraviesa el proceso de cambio, puede ser de gran ayuda buscar el consejo de un amigo o familiar, un terapeuta o un grupo de terapia. Es esencial tener en cuenta que no somos los únicos que nos enfrentamos a este reto, y que existen herramientas y estrategias para ayudarnos a superar los efectos del pensamiento excesivo.

Seguir un plan de acción planificado ayudó a las personas con trastornos de ansiedad a reducir drásticamente la cantidad de tiempo que dedicaban a pensar en exceso, según las conclusiones de un estudio realizado por la Universidad de

Cambridge. En una línea similar, un estudio publicado recientemente en la revista "Frontiers in Psychology" revela que la utilización de técnicas de afrontamiento conscientes y planificadas puede ser eficaz para reducir el pensamiento excesivo en quienes padecen trastorno obsesivo-compulsivo (TOC).

En resumen, para combatir el problema del exceso de pensamientos es necesario, en primer lugar, formular un plan de acción bien organizado.

Aprender a replantear nuestras ideas negativas es otra táctica esencial que debemos poner en práctica. Se trata de reconocer las ideas negativas que surgen automáticamente y sustituirlas por creencias más positivas y basadas en la realidad. Cuando nos demos cuenta de que somos incapaces de deshacernos de una idea negativa, es esencial que adquiramos la capacidad de desviar intencionadamente nuestra atención hacia otra cosa.

Además, es esencial tener en cuenta que el plan de acción no es una varita mágica, sino un proceso que siempre se está adaptando y ajustando a las nuevas circunstancias.

La investigación ha indicado que las personas que tienen un plan de acción tienen más probabilidades de ser constantes a la hora de adoptar tácticas para reducir el pensamiento excesivo. Según los resultados de un proyecto de investigación llevado a cabo por la Universidad de Nueva York, el sesenta por ciento de las personas que crearon un plan de acción afirmaron haber observado una reducción del tiempo dedicado a pensar demasiado tras un periodo de doce semanas.

En otro estudio, investigadores de la Universidad de Harvard llegaron a la conclusión de que elaborar un plan de acción es uno de los factores más importantes para determinar si un intento de reducir el exceso de pensamiento tendrá éxito o no. La investigación también descubrió que las personas que tienen un plan de acción bien estructurado son más capaces de reconocer y evitar las situaciones que les hacen pensar en exceso.

Se pueden conseguir grandes resultados con un plan de acción sólido y la cantidad adecuada de esfuerzo. Recordar esto es importante.

En conclusión, para desarrollar eficazmente un plan de acción para reducir el pensamiento excesivo, es esencial identificar patrones y objetivos que sean realistas, incorporar técnicas de relajación y actividad física, rodearse de personas positivas, tener paciencia y dedicación, y tener patrones de pensamiento positivos. Los estudios realizados en un entorno científico aportan pruebas de que estos métodos son útiles para mejorar la salud mental y reducir el pensamiento excesivo.

CÓMO MANTENER LA CONCENTRACIÓN A LARGO PLAZO

La clave para superar la tendencia a pensar demasiado es centrarse en el largo plazo.

Un estudio realizado en la Universidad de Oxford descubrió que las personas que practican estrategias de reducción del estrés, como la meditación y la atención plena, informan de una reducción de los síntomas de ansiedad y depresión un cincuenta por ciento inferior a la de las personas que no practican estas técnicas. Además, otro estudio que acaba de publicarse en la revista JAMA Psychiatry indica que la terapia cognitivo-conductual, que se centra en modificar los patrones de pensamiento negativos, es tan útil como la medicación para tratar la depresión.

El relato de John, que había luchado durante años con pensamientos obsesivos, es un ejemplo de anécdota personal que pone de relieve la importancia de mantener la atención a largo plazo. Empezó a meditar a diario y a acudir a un terapeuta para reconocer y modificar los patrones de pensamiento destructivos que albergaba. Al principio no notó mucha mejoría, pero siguió con su rutina y, al cabo de unos meses, empezó a notar un descenso considerable en la frecuencia e intensidad de sus pensamientos obsesivos.

Hay que recordar que utilizar el enfoque a largo plazo no garantiza que nunca más te asalten ideas depresivas o compulsivas. A todos nos puede ocurrir. Es probable que sigas teniendo estos pensamientos en ocasiones; sin embargo, con el paso del tiempo, adquirirás las habilidades necesarias para afrontarlos de una forma más productiva y ya no tendrán el mismo impacto sobre ti.

La estrategia a largo plazo es absolutamente necesaria para reducir las cavilaciones innecesarias. La gente tiende a buscar respuestas rápidas y sencillas, pero estas soluciones suelen ser temporales y no abordan el problema subyacente. Es fundamental elaborar un plan de acción a largo plazo que incluya tácticas para controlar el pensamiento excesivo, identificar los factores desencadenantes y mejorar las habilidades de afrontamiento. Esto se debe a que la gestión del pensamiento excesivo puede tener un impacto negativo en la salud mental.

La terapia cognitivo-conductual está ampliamente reconocida como una de las técnicas más eficaces a largo plazo (TCC). Uno de los objetivos principales de la terapia cognitivo-conductual (TCC) es cambiar los patrones de pensamiento negativos y los comportamientos inadecuados que contribuyen al pensamiento excesivo. Se ha demostrado que la TCC es útil para tratar el pensamiento excesivo, con tasas de éxito que oscilan entre el 60 y el 80% en diversos estudios.

La frase "deberes para casa" hace referencia a una técnica habitual utilizada en la terapia cognitivo-conductual. Consiste en delegar una tarea concreta para que se realice a diario durante un tiempo predeterminado. Por ejemplo, a una persona que lucha contra los pensamientos obsesivos se le puede asignar la tarea de escribir sus pensamientos obsesivos en un diario durante quince minutos al día durante una semana si así se lo indica un profesional de la salud mental.

La meditación es otra práctica que puede ser útil para mantener la concentración a largo plazo. La práctica de la meditación ayuda a aumentar la atención y la concentración, dos factores que pueden contribuir a reducir los pensamientos excesivos. Además, los estudios han demostrado que quienes meditan experimentan menos síntomas asociados a la ansiedad y la desesperación.

En lugar de intentar luchar contra las ideas negativas, es crucial aprender a aceptarlas y dejarlas marchar tras reconocer su presencia.

La palabra "tratamiento de exposición" hace referencia a otro método a largo plazo. Este método consiste en someter progresivamente a una persona a la circunstancia o el concepto que le preocupa. Por ejemplo, en el caso de una persona con miedo a los perros, la terapia de exposición puede consistir en mostrarle fotografías de perros, hacerle ver películas de perros y, por último, ponerle en la misma habitación que un perro.

Tanto la meditación como la atención plena son excelentes estrategias a largo plazo para reducir el pensamiento excesivo, y cualquiera puede practicarlas. Se ha demostrado que la práctica de la meditación puede ayudar a disminuir la actividad en la amígdala, que es la región del cerebro responsable de sentimientos como el miedo. La atención plena, por otro lado, es una práctica que se centra en estar presente y ser consciente del momento actual. Esta práctica ayuda a las personas a evitar pensar en exceso devolviéndolas al aquí y ahora.

Además de estas tácticas, es esencial centrarse en mejorar la salud física general para tener éxito. Se ha demostrado que practicar una actividad física regular puede ayudar a reducir los sentimientos de preocupación y tensión. Según las conclusiones de un estudio realizado por la Universidad de Harvard, mantener una rutina regular de ejercicio físico puede ser beneficioso. Además, la actividad física es necesaria para la concentración a largo plazo. La tensión y el estrés pueden reducirse mediante la actividad física, que también tiene la ventaja añadida de elevar el estado de ánimo. Las personas que practican ejercicio moderado tienen un riesgo de desarrollar trastornos de ansiedad y depresión un treinta por ciento menor, según un estudio realizado por el Instituto Nacional de Salud Mental.

De cara al futuro, es esencial señalar que la estrategia a largo plazo no consiste simplemente en utilizar temporalmente los métodos descritos en los capítulos anteriores, sino en integrarlos en nuestro día a día de forma que formen parte permanente de nuestras rutinas. Al principio, puede que te resulte difícil, pero a medida que tengas más experiencia y más tiempo, verás que cada vez te resulta más fácil.

La dedicación, la perseverancia y la inspiración son componentes necesarios para mantener la concentración a largo plazo con el fin de alcanzar las propias metas y objetivos. También requiere aprender a mantener la mente bajo control y abstenerse de pensar en exceso. Muchas personas tienen la costumbre de darle demasiadas vueltas a las cosas, sobre todo las que son propensas al estrés y la preocupación, lo que les impide centrarse en los objetivos que se han fijado. Esto puede hacer que las personas pierdan la confianza en sí mismas y las desvíe de sus objetivos. Si te encuentras en esta situación, es imperativo que aprendas a evitar pensar en exceso para mantener tu atención en el largo plazo.

Cuando alguien piensa demasiado en un tema o problema, se concentra en los detalles específicos de la circunstancia o cuestión, lo que puede provocar sentimientos de ansiedad y tensión. Esto puede ocurrir como consecuencia directa de emociones como la preocupación o la inseguridad.

Al intentar resolver un problema, es habitual que una persona piense demasiado en la situación, lo que no sólo no ayuda a resolver el problema, sino que hace que la situación sea más difícil de manejar.

Establece objetivos que sean alcanzables.

Los objetivos se consideran realistas si son alcanzables y pueden completarse en un plazo de tiempo razonable. Cuando se fijan objetivos alcanzables, es más fácil mantener la motivación y el compromiso a largo plazo, lo que ayuda a no pensar demasiado. Al definir los objetivos, es fundamental ser lo más realista posible y abstenerse de sobrestimar lo que se puede conseguir.

Debido a esta tendencia, puede resultar difícil mantener la atención a largo plazo. Sin embargo, puedes recurrir a varios métodos para mantener la atención en la tarea que tienes entre manos.

Lo primero y más importante es aprender a reconocer los síntomas del pensamiento excesivo. Esto implica darse cuenta de cuándo se le está dando demasiadas vueltas a un determinado escenario o problema y ser consciente de cuándo se está desviando del curso de su pensamiento. Esto puede ayudarle a poner fin a su pensamiento excesivo antes de que llegue a ser demasiado intenso.

Después de reconocer que estás pensando demasiado en algo, el siguiente paso del proceso es tomarte un descanso. Se trata de tomarse un respiro de la circunstancia o el problema en cuestión para dedicarse a una actividad que le resulte agradable o tranquilizadora. Leer, hacer ejercicio, salir con los amigos o la familia, ir al cine o dar un paseo son ejemplos de actividades que encajan en esta categoría. Todas estas actividades son formas beneficiosas de despejar la mente, y también le ayudarán a relajarse y a desconectar sus pensamientos.

Por último, pero no por ello menos importante, esfuérzate por mantener una mentalidad de aceptación y ausencia de prejuicios. Esto implica no juzgar tus propias ideas y emociones. Recuerde que sólo son pensamientos y sentimientos pasajeros que pronto desaparecerán por sí solos. Haga un esfuerzo por reconocerlos y aceptarlos en lugar de reprimirlos, ya que esto sólo servirá para empeorar el pensamiento excesivo.

Si pones en práctica estas ideas, tendrás más capacidad para mantener la atención en el largo plazo y abstenerte de pensar demasiado. Es una situación en la que todos salen ganando, a pesar de las posibles dificultades.

Céntrate en el largo plazo para evitar pensar demasiado

La capacidad de darle demasiadas vueltas a una situación es un gran obstáculo tanto para la productividad como para el éxito. Si nos dejamos atrapar por un ciclo de pensamientos negativos, podemos agotar nuestros recursos mentales y emocionales. Para no caer en la trampa de pensar demasiado, es esencial concentrarse a largo plazo. Esto implica establecer objetivos a largo plazo, empezando por los objetivos más fundamentales y básicos para construir un conjunto de habilidades y metas más amplio.

En lugar de suspirar por los resultados que deseamos, deberíamos preguntarnos qué pasos debemos dar para conseguirlos. Para ello, debemos fijar unos objetivos a corto plazo e investigar en profundidad las condiciones que rodean a los resultados deseados. Nos resultará más fácil concentrarnos en el proceso que en los resultados si cultivamos una ética de trabajo meticulosa y tenemos una perspectiva a largo plazo. Esto nos permite concentrarnos en mejorar tanto nuestros talentos como nuestros conocimientos para avanzar hacia nuestros objetivos.

No perdamos el tiempo concentrándonos en pequeñas cosas, sino prestemos atención a los factores importantes que pueden tener un impacto significativo en nuestras vidas. Esto implica mantener la mente alejada de las preocupaciones mundanas que surgen a diario, como lidiar con el tráfico o las cuestiones burocráticas. Implica tener la paciencia necesaria para mantener nuestra visión a largo plazo a pesar de los obstáculos que puedan aparecer en el camino.

No ser capaz de mantener la atención en el momento presente es uno de los problemas más difíciles a los que se enfrenta la gente hoy en día. Cada vez es más difícil concentrarse en determinadas tareas sin distraerse con la tecnología, que domina cada vez más nuestras vidas. Aunque existen muchos métodos, uno de los más eficaces para mejorar la concentración es evitar pensar demasiado en las situaciones. Conseguirlo es tan fácil como seguir unos sencillos pasos.

Para empezar, es necesario reconocer la verdad de que los pensamientos y las preocupaciones pueden, a veces, llegar a ser demasiado para manejarlos. Por ello, es fácil que la mente se desvíe del foco principal, lo que puede hacer que la situación resulte abrumadora. Por ello, es esencial reconocer primero los pensamientos que contribuyen a la perturbación y, a continuación, tomar la decisión consciente de no rumiar esos pensamientos. Esto puede parecer difícil al principio, pero una vez que los hayas identificado, podrás decidir si les dedicas tiempo o no.

El segundo consejo es que evites especular sobre lo que ocurrirá en el futuro. Esto puede suponer un reto, ya que es propio de la naturaleza humana preocuparse por lo que ocurrirá en el futuro. Sin embargo, esto puede ser contraproducente, ya que nos obliga a preocuparnos por problemas que aún no se han manifestado, lo que disminuye nuestro nivel de atención y, por tanto, dificulta nuestra productividad. Además, provoca que nuestra mente procese ese concepto imaginario como real y así nuestro estrés y ansiedad aumentan cómo si estuviera pasando verdaderamente en el momento presente. Concentrarse en el aquí y ahora mientras se avanza hacia el objetivo, paso a paso, es una estrategia para evitar este resultado.

En conclusión, es esencial no esforzarse por ejercer control sobre las propias ideas. La mayoría de la gente se esforzará por reprimirlas u olvidarlas.

Dominar la capacidad de concentración evitando pensar demasiado en las situaciones

Dominar las habilidades de concentración y autocontrol cuando se trata de pensar en exceso puede ser todo un reto. La gran mayoría de nosotros somos propensos a dejar que nuestros pensamientos divaguen, y nos cuesta centrarnos en la tarea que tenemos entre manos. Por ello, puede llegar a ser difícil concentrarse en la tarea que tenemos entre manos y completarla, ya que el bucle de distracciones y temores que eso crea puede llegar a ser interminable.

Por otro lado, hay algunas cosas que puedes hacer para concentrarte mejor y dejar de pensar demasiado. En primer lugar, **evita las distracciones**. Para ello hay que dejar el teléfono, apagar la televisión y desconectarse de todas las redes sociales. Al principio puede parecer difícil, pero es necesario para mejorar la concentración.

En segundo lugar: **haz pausas con regularidad**. Procura dar a tu mente la oportunidad de relajarse y refrescarse haciendo pausas frecuentes mientras trabajas. Recargar las pilas y volver al trabajo será posible gracias a estas pausas.

En tercer lugar, **haz un esfuerzo por relajarse antes de empezar a trabajar**. Esto puede implicar actividades como leer un libro, dar un paseo o incluso escuchar música que te calme y tranquilice. De este modo, tu mente estará más relajada y podrás concentrarte con mayor eficacia.

Por último, pero no por ello menos importante, intenta mantener la mente activa. Intenta entrenarte mentalmente en lugar de dejar que tu mente divague sin rumbo. Lee material interesante, adquiere nuevos conocimientos o ponte a prueba con alguna actividad física.

Para tener éxito en todos los aspectos de la vida, la concentración y el enfoque son absolutamente necesarios. Mantener la concentración no siempre es fácil, sobre todo cuando hay muchas cosas que pueden desviar la atención de una persona o cuando esa persona se encuentra pensando demasiado. Estos sencillos métodos pueden ayudar a mantener la concentración evitando el pensamiento excesivo:

Hay momentos en los que puede resultar difícil mantener la concentración y abstenerse de pensar en exceso, pero hay varias tácticas que pueden ayudarle a mantener la concentración en su tarea. Para empezar, es necesario elaborar un horario diario que incluya horas fijas para cada actividad y responsabilidad. Esto te proporcionará una estructura que te ayudará a mantener la concentración. Además, es esencial tener una lista de tareas y priorizar las más importantes. De este modo, tendrás más posibilidades de lograr los resultados que deseas en un tiempo eficiente. Para minimizar el riesgo de desviarse por distracciones innecesarias mientras trabajas, es recomendable como ya hemos comentado, que apagues todos los dispositivos electrónicos. Si te ayuda, utiliza un temporizador para controlar el tiempo que dedicas a actividades que no son absolutamente importantes. Cuando trabajes en un proyecto concreto, es fundamental que te fijes metas para mantener la motivación y asegurarte de que cumples tus objetivos. En conclusión, mantener la motivación es la clave para mejorar la concentración y evitar pensar demasiado.

Una habilidad crucial para alcanzar los objetivos es la capacidad de mantener la concentración en ellos. Por otra parte, darse cuenta de esto puede ser un reto a veces debido a la corriente interminable de pensamientos que pueden servir de distracción. Para mantener la atención en una tarea, las siguientes son algunas tácticas que pueden ayudarle a evitar el exceso de pensamientos:

- Para empezar, es esencial llegar al fondo de dónde proceden los pensamientos anormales. Algunos de los motivos pueden ser la ansiedad, el estrés, la falta de motivación o incluso el aburrimiento. Es posible determinar el enfoque más eficaz para tratar los pensamientos desviados localizando primero la fuente subyacente del problema.

- Tómate un tiempo para relajarte y concentrarte en cómo suena tu respiración. Esto ayudará a calmar tanto tu cuerpo como tu mente, permitiéndote volver a centrar tu atención en el objetivo que tienes entre manos.

- Crear una estrategia para seguir adelante. Como resultado, será mucho más sencillo organizar y priorizar los propios objetivos, lo que facilitará la supresión de ideas aleatorias.

- Haz planes para realizar las actividades que le producen alegría durante su tiempo libre. Esto te ayudará a mantener la motivación y a evitar la monotonía, lo que, a su vez, reducirá el número de pensamientos aleatorios que entran en tu cabeza.

- Practica la meditación. Esta estrategia ayuda a aumentar la concentración y a reducir la deriva mental.

- Dada la gran influencia que el compromiso social y el sentimiento de comunidad pueden tener en nuestra salud mental, es esencial que nos rodeemos de personas optimistas y alentadoras. Mantener relaciones sanas y una red de personas útiles puede ayudarnos a sentirnos más conectados con los demás y a afrontar mejor las dificultades que nos depara la vida.

- Si experimentas síntomas persistentes de ansiedad, tristeza o estrés, es esencial que busques la ayuda de un experto capacitado. Los profesionales de la salud mental pueden ofrecer orientación y apoyo útiles, además de terapias y tratamientos eficaces.

Mantener una buena salud mental y emocional es un componente esencial de nuestra vida y es imperativo que este área reciba la atención y la consideración que merece. Podemos aumentar nuestro bienestar y vivir una vida más saludable y gratificante si ponemos en práctica métodos positivos y buscamos apoyo cuando sintamos la necesidad de hacerlo.

Es necesario tener una visión clara y precisa de lo que se quiere conseguir antes de empezar cualquier proyecto o alterar cualquier hábito. Puedes adoptar la forma de objetivos a largo plazo o de metas a corto plazo más manejables que contribuyan colectivamente a la consecución del objetivo general.

Una vez fijados los objetivos, **es fundamental disponer de un sistema para supervisar los progresos y realizar los ajustes necesarios**. Una vez fijados los objetivos, es importante crear un sistema de seguimiento. Puede adoptar la forma de una hoja de seguimiento, un calendario o incluso una aplicación que registre los progresos y controle los objetivos.

Mantener una actitud alegre y orientada al crecimiento y una mentalidad positiva son los factores más importantes para mantener la concentración a largo plazo. Es fundamental centrarse en aprender y desarrollarse a partir de los contratiempos y los retos, en lugar de pensar en ellos como obligaciones, fracasos o impedimentos.

Intenta estar en compañía de personas optimistas y alentadoras. Es esencial poblar tu entorno inmediato de personas optimistas y alentadoras que tengan objetivos y creencias similares a los tuyos. En los momentos difíciles, los miembros de este grupo pueden ser una fuente de motivación y apoyo.

Aprende a decir "no". Para poder mantener la concentración, una de las habilidades más cruciales que hay que adquirir es la capacidad de aprender cómo y cuándo decir "no" a las distracciones y compromisos que no contribuyen a los objetivos a largo plazo.

Dedica algún tiempo a desconectar y recargar las pilas: tanto el estrés como la sobrecarga tienen el potencial de fragmentar la atención e interferir en la concentración sostenida. Por ello, es esencial que programes con regularidad unos momentos de inactividad para desconectar y recargar las pilas.

Es necesario revisar y reevaluar con regularidad: En conclusión, es esencial examinar y reevaluar los propios comportamientos y objetivos con regularidad para garantizar que siguen siendo aplicables y alcanzables. Tener esto en cuenta puede facilitar mantener la concentración y hacer las modificaciones necesarias.

CONCLUSIÓN

Es esencial tener en cuenta la importancia de la práctica y la persistencia a la hora de poner en práctica en nuestra vida cotidiana las tácticas aquí expuestas si queremos llegar a una conclusión significativa al respecto.

Además, es de suma importancia ser conscientes de que cada persona es especial por derecho propio y de que lo que tiene éxito para una persona puede no tenerlo para otra. En consecuencia, es vital probar una variedad de enfoques alternativos hasta que descubramos los que satisfacen nuestras necesidades específicas de la manera más eficaz.

Reconocer los patrones negativos de pensamiento y comportamiento que pueden estar perjudicando nuestra salud mental y trabajar activamente para identificar y cambiar estos patrones es un buen punto de partida. Esto puede lograrse trabajando para mejorar nuestra salud mental. **Reencuadrar los pensamientos negativos, practicar la meditación y la atención plena y hacer uso de anclajes positivos** son ejemplos de estrategias que podrían entrar en esta categoría.

Crear un plan de acción concreto que detalle los pasos positivos que se pueden dar a diario es otra táctica crucial que se debe poner en práctica. Estas actividades pueden ser tan básicas como **dedicar tiempo a las cosas**

que nos gusta hacer, escribir en un diario o participar diariamente en algún tipo de actividad física. Podemos empezar a ver una mejora en nuestro bienestar mental y emocional si hacemos unos buenos ajustes en las actividades cotidianas que conforman nuestra vida.

Podemos empezar a mejorar nuestro bienestar y vivir vidas más equilibradas y gratificantes si ponemos en práctica las estrategias que se han ofrecido y las utilizamos en nuestra vida diaria.

Dado que la interacción social y el sentimiento de pertenencia a una comunidad pueden influir considerablemente en la salud mental de una persona, **es esencial que nos rodeemos de personas optimistas y alentadoras**. Mantener relaciones sanas y una red de personas útiles puede ayudarnos a sentirnos más conectados con los demás y a afrontar mejor las dificultades que nos depara la vida.

Si experimenta síntomas persistentes de ansiedad, tristeza o estrés, es recomendable que busque la ayuda de un experto capacitado.

Los resultados de nuestra investigación sobre métodos para mejorar la salud mental y física nos llevaron a la conclusión de que existen diversas tácticas e instrumentos para ayudar a las personas a lograr una existencia más equilibrada y significativa. Si tú, eres una de las personas interesadas en mejorar su bienestar, tienes a tu disposición una amplia variedad de alternativas, que van desde la atención plena y la meditación hasta técnicas que replantean patrones de pensamiento perjudiciales.

Las personas que tienen dificultades para mantener la concentración en sus objetivos de mejora pueden beneficiarse de la elaboración de un plan de acción y de la identificación de los factores desencadenantes que les llevan a pensar en exceso.

Si desea vivir una vida que esté más en armonía consigo misma y disfrutar de la mejor salud mental y física posible, debes realizar estudios y probar diversos enfoques antes de decidirte por los que te resulten más satisfactorios. Así podrás seguir avanzando hacia una vida más satisfactoria, siempre que te concentres en el largo plazo y seas consciente de los progresos realizados.

A modo de repaso, a continuación, se exponen algunas de las estrategias presentadas:

- Las prácticas de meditación y concienciación
- Exposición terapéutica
- Anclajes positivos
- Transformación de formas de pensar improductivas
- La descarga de pensamientos a través de la escritura
- Actividades relajantes o físicas
- La identificación de los factores que contribuyen al pensamiento excesivo
- La formulación de una estrategia de actuación
- Orientación a largo plazo.

Las personas interesadas en mejorar su bienestar y llevar una vida más armoniosa y saludable pueden encontrar útil la información aquí presentada.

Espero que hayas obtenido lo que deseabas de este libro y hayas podido descubrir nuevos métodos para reducir el pensamiento excesivo y calmar tu mente. He intentado explicar las mismas técnicas desde diferentes enfoques para que más personas pudieran entenderlas a la perfección y así poder aplicarlas a sus vidas. Lo importante es que tú, como lector, tengas una comprensión clara de las ideas que se exponen en estas páginas, así como de las formas en las que se pueden utilizar estas técnicas en tu vida cotidiana.

Por ello, es muy recomendable que repases las numerosas tácticas que se analizan en las distintas secciones del texto y descubras cómo podrías aplicarlas en tu día a día. Por ejemplo, **meditar y practicar la atención plena** son prácticas que pueden incluirse en la rutina habitual de una persona, aunque sólo sea durante unos minutos al día. Del mismo modo, la actividad física regular es uno de los métodos más esenciales para mejorar la salud mental, física y emocional.

El replanteamiento de las creencias negativas es otro componente clave a tener en cuenta. Esta idea es esencial para evitar quedar atrapado en un círculo vicioso de pensamientos negativos y obsesivos, que pueden desembocar en emociones de ansiedad y tensión. Por ello, es esencial adquirir la capacidad de detectar las creencias negativas y esforzarse activamente por sustituirlas por una perspectiva más optimista.

Escribir las ideas y sacarlas de la cabeza es otro método útil para mejorar la salud mental. Escribir nuestros pensamientos y sentimientos puede ayudarnos a comprenderlos mejor y a sentirnos liberados, lo que a su vez puede mejorar nuestro bienestar emocional general.

Recuerda **formular tu plan de acción**, ya que es absolutamente necesario para aplicar con éxito estos métodos en la rutina diaria. Esta estrategia debe incorporar diferentes técnicas, como meditar, realizar actividad física, replantearse los pensamientos negativos y escribir para procesar y dejar ir los pensamientos, entre muchas otras.

Es importante tener paciencia y perseverancia, y tener en cuenta que puede ser necesario probar varios enfoques antes de decidirse por los que den mejores resultados para una persona en particular.

Las soluciones descritas en este manual son un punto de partida para que llegues a mejorar tu salud mental y emocional. En tus manos está ahora la aplicación de las mismas. Puedes lograr todo lo que te propongas con voluntad y constancia, planificando tus objetivos y comprendiendo que los mejores objetivos de esta vida, a nivel físico, mental y emocional, son aquellos que conseguimos a largo plazo.

Disfruta de tu proceso de autoconocimiento y ten seguro que, si te lo propones, conseguirás tu meta de dejar de pensar demasiado.

¡Feliz viaje hacia tu bienestar crecimiento personal!

Te agradezco tu interés en leer mi obra

Espero que este libro te haya resultado interesante y que, leyendo mis experiencias, hayas obtenido ideas e inspiración que te ayuden en tu propio camino hacia la superación personal, la salud mental y la felicidad.

Tu ayuda significa mucho

Si te gustó este libro, una de las mejores cosas que puedes hacer por mí sería dejar una reseña en el sitio web donde lo compraste. No te llevará mucho tiempo, pero sería genial si pudieras dedicarme esos minutos.

Si le das a mi obra una valoración alta, la verá más gente y, a su vez, mejorará su vida, salud y felicidad.

Que tu viaje esté lleno de paz y abundancia,
Jun Sano